Yasmina Reza

« Art »

Gallimard

Yasmina Reza est écrivain. Parmi ses romans figurent notamment *Une désolation*, *Adam Haberberg*, *Dans la luge d'Arthur Schopenhauer*, *Heureux les heureux* et *Babylone*, prix Renaudot 2016. Ses pièces de théâtre, dont *Conversations après un enterrement*, *« Art »*, *Le Dieu du carnage* ou encore *Bella Figura*, sont jouées dans le monde entier. Ses œuvres sont adaptées dans plus de trente-cinq langues et ont reçu les deux prix anglo-saxons les plus prestigieux : le Laurence Olivier Award et le Tony Award.

merci à Serge Goldszal

MARC

SERGE

YVAN

Le salon d'un appartement.
Un seul décor. Le plus dépouillé, le plus neutre
possible.
Les scènes se déroulent successivement chez
Serge, Yvan et Marc.
Rien ne change, sauf l'œuvre de peinture
exposée.

Marc, seul.

MARC   Mon ami Serge a acheté un tableau. C'est une toile d'environ un mètre soixante sur un mètre vingt, peinte en blanc. Le fond est blanc et si on cligne des yeux, on peut apercevoir de fins liserés blancs transversaux. Mon ami Serge est un ami depuis longtemps.
C'est un garçon qui a bien réussi, il est médecin dermatologue et il aime l'*art*.
Lundi, je suis allé voir le tableau que Serge avait acquis samedi mais qu'il convoitait depuis plusieurs mois.
Un tableau blanc, avec des liserés blancs.

*

Chez Serge.
Posée à même le sol, une toile blanche, avec de
fins liserés blancs transversaux.
Serge regarde, réjoui, son tableau.
Marc regarde le tableau.
Serge regarde Marc qui regarde le tableau.

Un long temps où tous les sentiments se tra-
duisent sans mot.

MARC   Cher ?

SERGE   Deux cent mille.

MARC   Deux cent mille ?…

SERGE   Handtington me le reprend à
vingt-deux.

MARC   Qui est-ce ?

SERGE   Handtington ?!

MARC   Connais pas.

SERGE   Handtington ! La galerie Handtington !

MARC   La galerie Handtington te le reprend à vingt-deux ?…

SERGE   Non, pas la galerie. Lui. Handtington lui-même. Pour lui.

MARC   Et pourquoi ce n'est pas Handtington qui l'a acheté ?

SERGE   Parce que tous ces gens ont intérêt à vendre à des particuliers. Il faut que le marché circule.

MARC   Ouais…

SERGE   Alors ?

MARC   …

SERGE   Tu n'es pas bien là. Regarde-le d'ici. Tu aperçois les lignes ?

MARC   Comment s'appelle le…

SERGE   Peintre. Antrios.

MARC   Connu ?

SERGE   Très. Très !

Un temps.

MARC   Serge, tu n'as pas acheté ce tableau deux cent mille francs ?

SERGE   Mais mon vieux, c'est le prix. C'est un ANTRIOS !

MARC   Tu n'as pas acheté ce tableau deux cent mille francs !

SERGE   J'étais sûr que tu passerais à côté.

MARC   Tu as acheté cette merde deux cent mille francs ?!

*

Serge, comme seul.

SERGE   Mon ami Marc, qui est un garçon intelligent, garçon que j'estime depuis longtemps, belle situation, ingénieur dans l'aéronautique, fait partie de ces intellectuels, nouveaux, qui, non contents d'être ennemis de la modernité en tirent une vanité incompréhensible.

Il y a depuis peu, chez l'adepte du bon vieux temps, une arrogance vraiment stupéfiante.

*

Les mêmes.
Même endroit.
Même tableau.

SERGE, *après un temps* ... Comment peux-tu dire « cette merde » ?

MARC   Serge, un peu d'humour ! Ris !... Ris, vieux, c'est prodigieux que tu aies acheté ce tableau !

Marc rit.
Serge reste de marbre.

SERGE   Que tu trouves cet achat prodigieux tant mieux, que ça te fasse rire, bon, mais je voudrais savoir ce que tu entends par « cette merde ».

MARC   Tu te fous de moi !

SERGE   Pas du tout. « Cette merde » par rapport à quoi ? Quand on dit telle chose est une merde, c'est qu'on a un critère de valeur pour estimer cette chose.

MARC   À qui tu parles ? À qui tu parles en ce moment ? Hou hou !...

SERGE   Tu ne t'intéresses pas à la peinture contemporaine, tu ne t'y es jamais intéressé. Tu n'as aucune connaissance dans ce domaine, donc comment peux-tu affirmer que tel objet, obéissant à des lois que tu ignores, est une merde ?

MARC   C'est une merde. Excuse-moi.

*

Serge, seul.

SERGE   Il n'aime pas le tableau.
Bon...
Aucune tendresse dans son attitude.
Aucun effort.
Aucune tendresse dans sa façon de condamner.

Un rire prétentieux, perfide.
Un rire qui sait tout mieux que tout le monde.
J'ai haï ce rire.

*

Marc, seul.

MARC   Que Serge ait acheté ce tableau me dépasse, m'inquiète et provoque en moi une angoisse indéfinie.
En sortant de chez lui, j'ai dû sucer trois granules de Gelsémium 9 CH que Paula m'a conseillé – entre parenthèses, elle m'a dit Gelsémium ou Ignatia ? tu préfères Gelsémium ou Ignatia ? est-ce que je sais moi ?! – car je ne peux absolument pas comprendre comment Serge, qui est un ami, a pu acheter cette toile.
Deux cent mille francs !
Un garçon aisé mais qui ne roule pas sur l'or. Aisé sans plus, aisé bon. Qui achète un tableau blanc vingt briques. Je dois m'en référer à Yvan qui est notre ami

commun, en parler avec Yvan. Quoique Yvan est un garçon tolérant, ce qui en matière de relations humaines est le pire défaut. Yvan est tolérant parce qu'il s'en fout.

Si Yvan tolère que Serge ait pu acheter une merde blanche vingt briques, c'est qu'il se fout de Serge. C'est clair.

*

Chez Yvan.

Au mur, une croûte.

Yvan est de dos à quatre pattes.
Il semble chercher quelque chose sous un meuble.
Dans l'action, il se retourne pour se présenter.

YVAN   Je m'appelle Yvan.
Je suis un peu tendu car après avoir passé ma vie dans le textile, je viens de trouver un emploi de représentant dans une papeterie en gros.

Je suis un garçon sympathique. Ma vie professionnelle a toujours été un échec et je vais me marier dans quinze jours avec une gentille fille brillante et de bonne famille.

Entre Marc.
Yvan est à nouveau de dos en train de chercher.

MARC   Qu'est-ce que tu fais ?

YVAN   Je cherche le capuchon de mon feutre.

Un temps.

MARC   Bon ça suffit.

YVAN   Je l'avais il y a cinq minutes.

MARC   Ce n'est pas grave.

YVAN   Si.

Marc se baisse pour chercher avec lui.
Ils cherchent tous deux pendant un instant.

Marc se redresse.

MARC   Arrête. Tu en achèteras un autre.

YVAN   Ce sont des feutres exceptionnels, tu peux dessiner sur toutes les matières avec… Ça m'énerve. Si tu savais comme les objets m'énervent. Je serrais ce capuchon, il y a cinq minutes.

MARC   Vous allez vous installer ici ?…

YVAN   Tu trouves bien pour un jeune couple ?

MARC   Un jeune couple ! Ah ! ah !

YVAN   Évite ce rire devant Catherine.

MARC   La papeterie ?

YVAN   Bien. J'apprends.

MARC   Tu as maigri.

YVAN   Un peu. Ça m'emmerde de ne pas avoir trouvé ce capuchon, il va sécher maintenant. Assieds-toi.

MARC   Si tu continues à chercher ce capuchon, je m'en vais.

YVAN   OK, j'arrête. Tu veux boire quelque chose ?

MARC   Un Perrier, si tu as.
Tu as vu Serge ces derniers jours ?

YVAN   Pas vu. Et toi ?

MARC   Vu hier.

YVAN   En forme ?

MARC   Très.
Il vient de s'acheter un tableau.

YVAN   Ah bon ?

MARC   Mmm.

YVAN   Beau ?

MARC   Blanc.

YVAN   Blanc ?

MARC   Blanc.
Représente-toi une toile d'environ un

mètre soixante sur un mètre vingt… fond blanc… entièrement blanc… en diagonale, de fines rayures transversales blanches… tu vois… et peut-être une ligne horizontale blanche en complément, vers le bas…

YVAN   Comment tu les vois ?

MARC   Pardon ?

YVAN   Les lignes blanches. Puisque le fond est blanc, comment tu vois les lignes ?

MARC   Parce que je les vois. Parce que mettons que les lignes soient légèrement grises, ou l'inverse, enfin il y a des nuances dans le blanc ! Le blanc est plus ou moins blanc !

YVAN   Ne t'énerve pas. Pourquoi tu t'énerves ?

MARC   Tu cherches tout de suite la petite bête.
Tu ne me laisses pas finir !

YVAN   Bon. Alors ?

MARC   Bon. Donc, tu vois le tableau.

YVAN   Je vois.

MARC   Maintenant tu vas deviner combien Serge l'a payé.

YVAN   Qui est le peintre ?

MARC   Antrios. Tu connais ?

YVAN   Non. Il est coté ?

MARC   J'étais sûr que tu poserais cette question !

YVAN   Logique...

MARC   Non, ce n'est pas logique...

YVAN   C'est logique, tu me demandes de deviner le prix, tu sais bien que le prix est en fonction de la cote du peintre...

MARC   Je ne te demande pas d'évaluer ce tableau en fonction de tel ou tel critère, je ne te demande pas une évaluation professionnelle, je te demande ce que toi Yvan, tu donnerais pour un tableau blanc

agrémenté de quelques rayures transversales blanc cassé.

YVAN   Zéro centime.

MARC   Bien. Et Serge ? Articule un
chiffre au hasard.

YVAN   Dix mille.

MARC   Ah ! ah !

YVAN   Cinquante mille.

MARC   Ah ! ah !

YVAN   Cent mille…

MARC   Vas-y…

YVAN   Quinze… Vingt ?!…

MARC   Vingt. Vingt briques.

YVAN   Non ?!

MARC   Si.

YVAN   Vingt briques ??!

MARC   … Vingt briques.

26

YVAN   … Il est dingue !…

MARC   N'est-ce pas ?

Léger temps.

YVAN   Remarque…

MARC   … Remarque quoi ?

YVAN   Si ça lui fait plaisir… Il gagne bien sa vie…

MARC   C'est comme ça que tu vois les choses, toi.

YVAN   Pourquoi ? Tu les vois comment, toi ?

MARC   Tu ne vois pas ce qui est grave là-dedans ?

YVAN   Heu… Non…

MARC   C'est curieux que tu ne voies pas l'essentiel dans cette histoire. Tu ne perçois que l'extérieur. Tu ne vois pas ce qui est grave.

27

YVAN   Qu'est-ce qui est grave ?

MARC   Tu ne vois pas ce que ça traduit ?

YVAN   … Tu veux des noix de cajou ?

MARC   Tu ne vois pas que subitement, de la façon la plus grotesque qui soit, Serge se prend pour un « collectionneur ».

YVAN   Hun, hun…

MARC   Désormais, notre ami Serge fait partie du Gotha des grands amateurs d'art.

YVAN   Mais non !…

MARC   Bien sûr que non. À ce prix-là, on ne fait partie de rien, Yvan. Mais lui, le croit.

YVAN   Ah oui…

MARC   Ça ne te gêne pas ?

YVAN   Non. Si ça lui fait plaisir.

MARC   Qu'est-ce que ça veut dire, si

ça lui fait plaisir ?! Qu'est-ce que c'est que cette philosophie du *si ça lui fait plaisir* ?!

YVAN   Dès l'instant qu'il n'y a pas de préjudice pour autrui…

MARC   Mais il y a un préjudice pour autrui ! Moi je suis perturbé mon vieux, je suis perturbé et je suis même blessé, si, si, de voir Serge, que j'aime, se laisser plumer par snobisme et ne plus avoir un gramme de discernement.

YVAN   Tu as l'air de le découvrir. Il a toujours hanté les galeries de manière ridicule, il a toujours été un rat d'exposition…

MARC   Il a toujours été un rat mais un rat avec qui on pouvait rire. Car vois-tu, au fond, ce qui me blesse réellement, c'est qu'on ne peut plus rire avec lui.

YVAN   Mais si !

MARC   Non !

YVAN   Tu as essayé ?

MARC   Bien sûr. J'ai ri. De bon cœur.
Que voulais-tu que je fasse ? Il n'a pas des-
serré les dents. Vingt briques, c'est un peu
cher pour rire, remarque.

YVAN   Oui. *(Ils rient.)* Avec moi, il rira.

MARC   M'étonnerait. Donne encore des
noix.

YVAN   Il rira, tu verras.

*

Chez Serge.

Serge est avec Yvan. On ne voit pas le tableau.

SERGE   … Et avec les beaux-parents,
bons rapports ?

YVAN   Excellents. Ils se disent c'est un
garçon qui a été d'emploi précaire en
emploi précaire, maintenant il va tâton-
ner dans le vélin… J'ai un truc sur la main
là, c'est quoi ?… *(Serge l'ausculte.)* … C'est
grave ?

SERGE   Non.

YVAN   Tant mieux. Quoi de neuf ?…

SERGE   Rien. Beaucoup de travail. Fatigué. Ça me fait plaisir de te voir. Tu ne m'appelles jamais.

YVAN   Je n'ose pas te déranger.

SERGE   Tu plaisantes. Tu laisses ton nom à la secrétaire et je te rappelle tout de suite.

YVAN   Tu as raison.
De plus en plus monacal chez toi…

SERGE, *il rit*   Oui !…
Tu as vu Marc récemment ?

YVAN   Non, pas récemment.
Tu l'as vu toi ?

SERGE   Il y a deux, trois jours.

YVAN   Il va bien ?

SERGE   Oui. Sans plus.

YVAN   Ah bon ?!

SERGE   Non, mais il va bien.

YVAN   Je l'ai eu au téléphone il y a une semaine, il avait l'air bien.

SERGE   Oui, oui, il va bien.

YVAN   Tu avais l'air de dire qu'il n'allait pas très bien.

SERGE   Pas du tout, je t'ai dit qu'il allait bien.

YVAN   Tu as dit, sans plus.

SERGE   Oui, sans plus. Mais il va bien.

Un long temps.
Yvan erre dans la pièce...

YVAN   Tu es sorti un peu ? Tu as vu des choses ?

SERGE   Rien. Je n'ai plus les moyens de sortir.

YVAN   Ah bon ?

SERGE, *gaiement*   Je suis ruiné.

YVAN   Ah bon ?

SERGE   Tu veux voir quelque chose de
rare ? Tu veux ?

YVAN   Et comment ! Montre !

*Serge sort et revient dans la pièce avec l'Antrios
qu'il retourne et dispose devant Yvan.*

*Yvan regarde le tableau et curieusement ne
parvient pas à rire de bon cœur comme il
l'avait prévu.*

*Après un long temps où Yvan observe le tableau
et où Serge observe Yvan.*

YVAN   Ah oui. Oui, oui.

SERGE   Antrios.

YVAN   Oui, oui.

SERGE   Antrios des années soixante-
dix. Attention. Il a une période similaire
aujourd'hui, mais celui-là c'est un de
soixante-dix.

YVAN   Oui, oui.
Cher ?

SERGE   Dans l'absolu, oui. En réalité,
non. Il te plaît ?

YVAN   Ah oui, oui, oui.

SERGE   Évident.

YVAN   Évident, oui… Oui… Et en
même temps…

SERGE   Magnétique.

YVAN   Mmm… Oui…

SERGE   Et là, tu n'as pas la vibration.

YVAN   … Un peu…

SERGE   Non, non. Il faudrait que tu
viennes à midi. La vibration du monochrome, on ne l'a pas en lumière artifi-
cielle.

YVAN   Hun, hun.

SERGE   Encore qu'on ne soit pas dans le
monochrome !

YVAN   Non !...
Combien ?

SERGE   Deux cent mille.

YVAN   ... Eh oui.

SERGE   Eh oui.

Silence.
Subitement Serge éclate de rire, aussitôt suivi
par Yvan.
Tous deux s'esclaffent de très bon cœur.

SERGE   Dingue, non ?

YVAN   Dingue !

SERGE   Vingt briques !

Ils rient de très bon cœur.
S'arrêtent. Se regardent.
Repartent.
Puis s'arrêtent.
Une fois calmés :

SERGE   Tu sais que Marc a vu ce tableau.

YVAN Ah bon ?

SERGE Atterré.

YVAN Ah bon ?

SERGE Il m'a dit que c'était une merde.
Terme complètement inapproprié.

YVAN C'est juste.

SERGE On ne peut pas dire que c'est
une merde.

YVAN Non.

SERGE On peut dire, je ne vois pas, je
ne saisis pas, on ne peut pas dire « c'est
une merde ».

YVAN Tu as vu chez lui.

SERGE Rien à voir.
Chez toi aussi c'est… enfin je veux dire,
tu t'en fous.

YVAN Lui c'est un garçon classique, c'est
un homme classique, comment veux-tu…

SERGE Il s'est mis à rire d'une manière

sardonique. Sans l'ombre d'un charme…
Sans l'ombre d'un humour.

YVAN   Tu ne vas pas découvrir
aujourd'hui que Marc est impulsif.

SERGE   Il n'a pas d'humour. Avec toi, je
ris. Avec lui, je suis glacé.

YVAN   Il est un peu sombre en ce
moment, c'est vrai.

SERGE   Je ne lui reproche pas de ne pas
être sensible à cette peinture, il n'a pas
l'éducation pour, il y a tout un appren-
tissage qu'il n'a pas fait, parce qu'il n'a
jamais voulu le faire ou parce qu'il n'avait
pas de penchant particulier, peu importe,
ce que je lui reproche c'est son ton, sa
suffisance, son absence de tact.
Je lui reproche son indélicatesse. Je ne lui
reproche pas de ne pas s'intéresser à l'Art
contemporain, je m'en fous, je l'aime au-
delà…

YVAN   Lui aussi !…

SERGE   Non, non, non, non, j'ai senti

chez lui l'autre jour une sorte… une sorte de condescendance… de raillerie aigre…

YVAN   Mais non !

SERGE   Mais si ! Ne sois pas toujours à essayer d'aplanir les choses. Cesse de vouloir être le grand réconciliateur du genre humain ! Admets que Marc se nécrose. Car Marc se nécrose.

Silence.

*

Chez Marc.

Au mur, un tableau figuratif représentant un paysage vu d'une fenêtre.

YVAN   On a ri.

MARC   Tu as ri ?

YVAN   On a ri. Tous les deux. On a ri. Je te le jure sur la tête de Catherine, on a ri ensemble tous les deux.

MARC   Tu lui as dit que c'était une merde et vous avez ri.

YVAN   Non, je ne lui ai pas dit que c'était une merde, on a ri spontanément.

MARC   Tu es arrivé, tu as vu le tableau et tu as ri. Et lui a ri aussi.

YVAN   Oui. Si tu veux. Après deux, trois mots c'est comme ça que ça s'est passé.

MARC   Et il a ri de bon cœur.

YVAN   De très bon cœur.

MARC   Eh bien tu vois je me suis trompé. Tant mieux. Tu me rassures, vraiment.

YVAN   Et je vais même te dire mieux. C'est Serge qui a ri le premier.

MARC   C'est Serge qui a ri le premier...

YVAN   Oui.

MARC   Il a ri et toi tu as ri après.

YVAN   Oui.

MARC   Mais lui, pourquoi il a ri ?

YVAN   Il a ri parce qu'il a senti que j'allais rire. Il a ri pour me mettre à l'aise, si tu veux.

MARC   Ça ne vaut rien s'il a ri en premier. S'il a ri en premier, c'est pour désamorcer ton rire. Ça ne signifie pas qu'il riait de bon cœur.

YVAN   Il riait de bon cœur.

MARC   Il riait de bon cœur mais pas pour la bonne raison.

YVAN   C'est quoi déjà la bonne raison ? J'ai un trouble.

MARC   Il ne riait pas du ridicule de son tableau, vous ne riiez pas lui et toi pour les mêmes raisons, toi tu riais du tableau et lui riait pour te plaire, pour se mettre à ton diapason, pour te montrer qu'en plus d'être un esthète qui peut investir sur un tableau ce que tu ne gagnes pas toi en un an, il reste ton vieux pote iconoclaste avec qui on se marre.

YVAN   Hun, hun… *(Un petit silence.)* Tu
sais…

MARC   Oui…

YVAN   Tu vas être étonné…

MARC   Oui…

YVAN   Je n'ai pas aimé… mais je n'ai
pas détesté ce tableau.

MARC   Bien sûr. On ne peut pas détes-
ter l'invisible, on ne déteste pas le rien.

YVAN   Non, non, il y a quelque chose…

MARC   Qu'est-ce qu'il y a ?

YVAN   Il y a quelque chose. Ce n'est pas
rien.

MARC   Tu plaisantes ?

YVAN   Je ne suis pas aussi sévère que
toi. C'est une œuvre, il y a une pensée
derrière ça.

MARC   Une pensée !

YVAN   Une pensée.

MARC   Et quelle pensée ?

YVAN   C'est l'accomplissement d'un cheminement…

MARC   Ah ! ah ! ah !

YVAN   Ce n'est pas un tableau fait par hasard, c'est une œuvre qui s'inscrit à l'intérieur d'un parcours…

MARC   Ah ! ah ! ah !

YVAN   Ris. Ris.

MARC   Tu répètes toutes les conneries de Serge ! Chez lui, c'est navrant mais chez toi, c'est d'un comique !

YVAN   Tu sais Marc, tu devrais te méfier de ta suffisance. Tu deviens aigri et antipathique.

MARC   Tant mieux. Plus je vais, plus je souhaite déplaire.

YVAN   Bravo.

MARC   Une pensée !

YVAN   On ne peut pas parler avec toi.

MARC   … Une pensée derrière ça !… Ce que tu vois est une merde mais rassure-toi, rassure-toi, il y a une pensée derrière !… Tu crois qu'il y a une pensée derrière ce paysage ?… *(Il désigne le tableau accroché chez lui.)* … Non, hein ? Trop évocateur. Trop dit. Tout est sur la toile ! Il ne peut pas y avoir de pensée !…

YVAN   Tu t'amuses, c'est bien.

MARC   Yvan, exprime-toi en ton nom. Dis-moi les choses comme tu les ressens, toi.

YVAN   Je ressens une vibration.

MARC   Tu ressens une vibration ?…

YVAN   Tu nies que je puisse apprécier en mon nom ce tableau !

MARC   Évidemment.

YVAN   Et pourquoi ?

MARC   Parce que je te connais. Parce

que outre tes égarements d'indulgence, tu es un garçon sain.

YVAN   On ne peut pas en dire autant te concernant.

MARC   Yvan, regarde-moi dans les yeux.

YVAN   Je te regarde.

MARC   Tu es ému par le tableau de Serge ?

YVAN   Non.

MARC   Réponds-moi. Demain, tu épouses Catherine et tu reçois en cadeau de mariage ce tableau. Tu es content ? Tu es content ?…

*

Yvan, seul.

YVAN   Bien sûr que je ne suis pas content. Je ne suis pas content mais d'une manière générale, je ne suis pas un garçon qui peut dire, je suis content.

44

Je cherche… je cherche un événement dont je pourrais dire, de ça je suis content… Es-tu content de te marier ? m'a dit un jour bêtement ma mère, es-tu seulement content de te marier ?… Sûrement, sûrement maman…

Comment ça sûrement ? On est content ou on n'est pas content, que signifie sûrement ?…

*

Serge, seul.

SERGE   Pour moi, il n'est pas blanc.
Quand je dis pour moi, je veux dire objectivement.
Objectivement, il n'est pas blanc.
Il a un fond blanc, avec toute une peinture dans les gris…
Il y a même du rouge.
On peut dire qu'il est très pâle.
Il serait blanc, il ne me plairait pas.
Marc le voit blanc… C'est sa limite…

Marc le voit blanc parce qu'il s'est enferré dans l'idée qu'il était blanc.

Yvan, non. Yvan voit qu'il n'est pas blanc. Marc peut penser ce qu'il veut, je l'emmerde.

*

Marc, seul.

MARC   J'aurais dû prendre Ignatia, manifestement.

Pourquoi faut-il que je sois tellement catégorique ?!

Qu'est-ce que ça peut me faire, au fond, que Serge se laisse berner par l'Art contemporain ?…

Si, c'est grave. Mais j'aurais pu le lui dire autrement.

Trouver un ton plus conciliant.

Si je ne supporte pas, physiquement, que mon meilleur ami achète un tableau blanc, je dois au contraire éviter de l'agresser. Je dois lui parler gentiment.

Dorénavant, je vais lui dire gentiment les choses…

*

Chez Serge.

SERGE   Tu es prêt à rire ?

MARC   Dis.

SERGE   Yvan a aimé l'Antrios.

MARC   Où est-il ?

SERGE   Yvan ?

MARC   L'Antrios.

SERGE   Tu veux le revoir ?

MARC   Montre-le.

SERGE   Je savais que tu y viendrais !… *(Il part et revient avec le tableau. Un petit silence de contemplation.)* Yvan a capté. Tout de suite.

MARC   Hun, hun…

SERGE   Bon, écoute, on ne va pas s'appesantir sur cette œuvre, la vie est brève… Au fait as-tu lu ça ? *(Il se saisit de* La Vie heureuse *de Sénèque et le jette sur la table basse juste devant Marc.)* Lis-le, chef-d'œuvre.

Marc prend le livre, l'ouvre et le feuillette.

SERGE   Modernissime. Tu lis ça, tu n'as plus besoin de lire autre chose. Entre le cabinet, l'hôpital, Françoise qui a décrété que je devais voir les enfants tous les week-ends – nouveauté de Françoise, les enfants ont besoin de leur père – je n'ai plus le temps de lire. Je suis obligé d'aller à l'essentiel.

MARC   … Comme en peinture finalement… Où tu as avantageusement éliminé forme et couleur. Ces deux scories.

SERGE   Oui… Encore que je puisse aussi apprécier une peinture plus figurative. Par exemple ton hypo-flamand. Très agréable.

MARC   Qu'est-ce qu'il a de flamand ?
C'est une vue de Carcassonne.

SERGE   Oui, mais enfin… il a un petit
goût flamand… la fenêtre, la vue, le…
peu importe, il est très joli.

MARC   Il ne vaut rien, tu sais.

SERGE   Ça, on s'en fout !… D'ailleurs,
Dieu seul sait combien vaudra un jour
l'Antrios !…

MARC   … Tu sais, j'ai réfléchi. J'ai réfléchi
et j'ai changé de point de vue. L'autre jour
en conduisant dans Paris, je pensais à toi et
je me suis dit : Est-ce qu'il n'y a pas, au fond,
une véritable poésie dans l'acte de Serge ?…
Est-ce que s'être livré à cet achat incohérent
n'est pas un acte hautement poétique ?

SERGE   Comme tu es doux aujourd'hui !
Je ne te reconnais pas. Tu as pris un petit
ton suave, subalterne, qui ne te va pas du
tout d'ailleurs.

MARC   Non, non, je t'assure, je fais
amende honorable.

SERGE   Amende honorable pourquoi ?

MARC   Je suis trop épidermique, je suis trop nerveux, je vois les choses au premier degré… Je manque de sagesse, si tu veux.

SERGE   Lis Sénèque.

MARC   Tiens. Tu vois, par exemple là, tu me dis « lis Sénèque » et ça pourrait m'exaspérer. Je serais capable d'être exaspéré par le fait que toi, dans cette conversation, tu me dises « lis Sénèque ». C'est absurde !

SERGE   Non. Non, ce n'est pas absurde.

MARC   Ah bon ?!

SERGE   Non, parce que tu crois déceler…

MARC   Je n'ai pas dit que j'étais exaspéré…

SERGE   Tu as dit que tu pourrais…

MARC   Oui, oui, que je pourrais…

SERGE   Que tu pourrais être exaspéré, et je le comprends. Parce que dans le « lis

Sénèque », tu crois déceler une suffisance de ma part. Tu me dis que tu manques de sagesse et moi je te réponds « lis Sénèque », c'est odieux !

MARC   N'est-ce pas !

SERGE   Ceci dit, c'est vrai que tu manques de sagesse, car je n'ai pas dit « lis Sénèque » mais « lis Sénèque ! ».

MARC   C'est juste. C'est juste.

SERGE   En fait, tu manques d'humour, tout bêtement.

MARC   Sûrement.

SERGE   Tu manques d'humour Marc. Tu manques d'humour pour de vrai mon vieux. On est tombé d'accord là-dessus avec Yvan l'autre jour, tu manques d'humour. Qu'est-ce qu'il fout celui-là ? Incapable d'être à l'heure, c'est infernal ! On a raté la séance !

MARC   … Yvan trouve que je manque d'humour ?…

SERGE Yvan dit comme moi, que ces derniers temps, tu manques un peu d'humour.

MARC La dernière fois que vous vous êtes vus, Yvan t'a dit qu'il aimait beaucoup ton tableau et que je manquais d'humour…

SERGE Ah oui, oui, ça, le tableau, beaucoup, vraiment. Et sincèrement… Qu'est-ce que tu manges ?

MARC Ignatia.

SERGE Tu crois à l'homéopathie maintenant.

MARC Je ne crois à rien.

SERGE Tu ne trouves pas qu'Yvan a beaucoup maigri ?

MARC Elle aussi.

SERGE Ça les ronge ce mariage.

MARC Oui.

Ils rient.

SERGE   Paula, ça va ?

MARC   Ça va. *(Désignant l'Antrios.)* Tu vas le mettre où ?

SERGE   Pas décidé encore. Là. Là ?... Trop ostentatoire.

MARC   Tu vas l'encadrer ?

SERGE, *riant gentiment*   Non !... Non, non...

MARC   Pourquoi ?

SERGE   Ça ne s'encadre pas.

MARC   Ah bon ?

SERGE   Volonté de l'artiste. Ça ne doit pas être arrêté.
Il y a un entourage... *(Il fait signe à Marc de venir observer la tranche.)* Viens voir... Tu vois...

MARC   C'est du sparadrap ?

SERGE   Non, c'est une sorte de kraft... Confectionné par l'artiste.

MARC C'est amusant que tu dises l'artiste.

SERGE Tu veux que je dise quoi ?

MARC Tu dis l'artiste, tu pourrais dire le peintre ou... comment il s'appelle... Antrios...

SERGE Oui... ?

MARC Tu dis l'artiste comme une sorte de... enfin bref, ça n'a pas d'importance. Qu'est-ce qu'on voit ? Essayons de voir quelque chose de consistant pour une fois.

SERGE Il est huit heures. On a raté toutes les séances. C'est inimaginable que ce garçon – il n'a rien à foutre, tu es d'accord – soit continuellement en retard ! Qu'est-ce qu'il fout ?!

MARC Allons dîner.

SERGE Oui. Huit heures cinq. On avait rendez-vous entre sept et sept heures et demie... Tu voulais dire quoi ? Je dis l'artiste comme quoi ?

MARC   Rien. J'allais dire une connerie.

SERGE   Non, non, dis.

MARC   Tu dis l'artiste comme une… comme une entité intouchable. L'artiste… Une sorte de divinité…

SERGE, *il rit*   Mais pour moi, c'est une divinité ! Tu ne crois pas que j'aurais claqué cette fortune pour un vulgaire mortel !…

MARC   Bien sûr.

SERGE   Lundi, je suis allé à Beaubourg, tu sais combien il y a d'Antrios à Beaubourg ?… Trois ! Trois Antrios !… À Beaubourg !

MARC   Épatant.

SERGE   Et le mien n'est pas moins beau !… Écoute, je te propose quelque chose, si Yvan n'est pas là dans exactement trois minutes, on fout le camp. J'ai découvert un excellent lyonnais.

MARC   Pourquoi tu es à cran comme ça ?

SERGE   Je ne suis pas à cran.

MARC   Si, tu es à cran.

SERGE   Je ne suis pas à cran, enfin si, je suis à cran parce que c'est inadmissible ce laxisme, cette incapacité à la contrainte !

MARC   En fait, je t'énerve et tu te venges sur le pauvre Yvan.

SERGE   Le pauvre Yvan, tu te fous de moi ! Tu ne m'énerves pas, pourquoi tu m'énerverais ?

*

SERGE   Il m'énerve. C'est vrai.
Il m'énerve.
Il a un petit ton douceâtre. Un petit sourire entendu derrière chaque mot.
On a l'impression qu'il s'efforce de rester aimable.
Ne reste pas aimable, mon petit vieux !
Ne reste pas aimable. Surtout !
Serait-ce l'achat de l'Antrios ?... L'achat

de l'Antrios qui aurait déclenché cette gêne entre nous ?...

Un achat... qui n'aurait pas eu sa caution ?...

Mais je me fous de sa caution ! Je me fous de ta caution, Marc !...

*

MARC   Serait-ce l'Antrios, l'achat de l'Antrios ?...

Non –

Le mal vient de plus loin...

Il vient très précisément de ce jour où tu as prononcé, sans humour, parlant d'un objet d'art, le mot *déconstruction*.

Ce n'est pas tant le terme de déconstruction qui m'a bouleversé que la gravité avec laquelle tu l'as proféré.

Tu as dit sérieusement, sans distance, sans un soupçon d'ironie, le mot *déconstruction*, toi, mon ami.

Ne sachant comment affronter cette situation j'ai lancé que je devenais misanthrope et tu m'as rétorqué, mais qui es-tu ? D'où parles-tu ?…

D'où es-tu en mesure de t'exclure des autres ? m'a rétorqué Serge de la manière la plus infernale. Et la plus inattendue de sa part… Qui es-tu mon petit Marc pour t'estimer supérieur ?

…

Ce jour-là, j'aurais dû lui envoyer mon poing dans la gueule.

Et lorsqu'il aurait été gisant au sol, moitié mort, lui dire, et toi, qui es-tu comme ami, quelle sorte d'ami es-tu Serge, qui n'estime pas son ami supérieur ?

*

Chez Serge.

Marc et Serge, comme on les a laissés.

MARC   Un lyonnais, tu as dit. Lourd, non ? Un peu gras, saucisses… tu crois ?

On sonne à la porte.

SERGE   Huit heures douze.

Serge va ouvrir à Yvan.
Yvan pénètre en parlant dans la pièce.

YVAN   Alors dramatique, problème inso-
luble, dramatique, les deux belles-mères
veulent figurer sur le carton d'invitation.
Catherine adore sa belle-mère qui l'a qua-
siment élevée, elle la veut sur le carton,
elle la veut, la belle-mère n'envisage pas,
et c'est normal, la mère est morte, de ne
pas figurer à côté du père, moi je hais la
mienne, il est hors de question que ma
belle-mère figure sur ce carton, mon père
ne veut pas y être si elle n'y est pas, à moins
que la belle-mère de Catherine n'y soit
pas non plus, ce qui est rigoureusement
impossible, j'ai suggéré qu'aucun parent
n'y soit, après tout nous n'avons plus vingt
ans, nous pouvons présenter notre union
et inviter les gens nous-mêmes, Catherine
a hurlé, arguant que c'était une gifle pour

ses parents qui payaient, prix d'or, la récep-
tion et spécifiquement pour sa belle-mère
qui s'était donné tant de mal alors qu'elle
n'était même pas sa fille, je finis par me
laisser convaincre, totalement contre mon
gré mais par épuisement, j'accepte donc
que ma belle-mère que je hais, qui est une
salope, figure sur le carton, je téléphone à
ma mère pour la prévenir, je lui dis maman,
j'ai tout fait pour éviter ça mais nous ne
pouvons pas faire autrement, Yvonne doit
figurer sur le carton, elle me répond si
Yvonne figure sur le carton, je ne veux pas y
être, je lui dis maman, je t'en supplie n'envenime pas les choses, elle me dit comment
oses-tu me proposer que mon nom flotte,
solitaire sur le papier, comme celui d'une
femme abandonnée, au-dessous de celui
d'Yvonne solidement amarré au patro-
nyme de ton père, je lui dis maman, des
amis m'attendent, je vais raccrocher, nous
parlerons de tout ça demain à tête repo-
sée, elle me dit et pourquoi je suis toujours
la dernière roue du carrosse, comment ça
maman, tu n'es pas la dernière roue du

carrosse, bien sûr que si, quand tu me dis
n'envenime pas les choses, ça veut bien
dire que les choses sont déjà là, tout s'orga-
nise sans moi, tout se trame derrière mon
dos, la brave Huguette doit dire amen à
tout et j'ajoute, me dit-elle – le clou –, pour
un événement dont je n'ai pas encore saisi
l'urgence, maman, des amis m'attendent,
oui, oui, tu as toujours mieux à faire tout
est plus important que moi, au revoir, elle
raccroche, Catherine, qui était à côté de
moi, mais qui ne l'avait pas entendue, me
dit, qu'est-ce qu'elle dit, je lui dis, elle ne
veut pas être sur le carton avec Yvonne et
c'est normal, je ne parle pas de ça, qu'est-
ce qu'elle dit sur le mariage, rien, tu mens,
mais non Cathy je te jure, elle ne veut pas
être sur le carton avec Yvonne, rappelle-la
et dis-lui que quand on marie son fils, on
met son amour-propre de côté, tu pourrais dire la même chose à ta belle-mère, ça
n'a rien à voir, s'écrie Catherine, c'est moi,
moi, qui tiens absolument à sa présence,
pas elle, la pauvre, la délicatesse même, si
elle savait les problèmes que ça engendre,

elle me supplierait de ne pas être sur le carton, rappelle ta mère, je la rappelle, en surtension, Catherine à l'écouteur, Yvan, me dit ma mère, tu as jusqu'à présent mené ta barque de la manière la plus chaotique qui soit et parce que, subitement, tu entreprends de développer une activité conjugale, je me trouve dans l'obligation de passer un après-midi et une soirée avec ton père, un homme que je ne vois plus depuis dix-sept ans et à qui je ne comptais pas exposer mes bajoues et mon embonpoint, et avec Yvonne qui, je te le signale en passant, a trouvé moyen, je l'ai su par Félix Perolari, de se mettre au bridge – ma mère aussi joue au bridge – tout ça je ne peux pas l'éviter, mais le carton, l'objet par excellence, que tout le monde va recevoir et étudier, j'entends m'y pavaner seule, à l'écouteur, Catherine secoue la tête avec un rictus de dégoût, je dis maman, pourquoi es-tu si égoïste, je ne suis pas égoïste, je ne suis pas égoïste Yvan, tu ne vas pas t'y mettre toi aussi et me dire comme madame Roméro ce matin que j'ai un cœur de pierre, que dans la famille, nous avons tous une pierre à la place du cœur, dixit madame Roméro ce matin parce que j'ai refusé – elle est devenue complètement folle – de la passer à soixante francs de l'heure non déclarée, et qui trouve le moyen de me dire que nous avons tous une pierre à la place du cœur dans la famille, quand on vient de mettre un pacemaker au pauvre André, à qui tu n'as même pas envoyé un petit mot, oui bien sûr c'est drôle, toi tout te fait rire, ce n'est pas moi qui suis égoïste Yvan, tu as encore beaucoup de choses à apprendre de la vie, allez mon petit, file, file rejoindre tes chers amis…

Silence.

SERGE   Et alors ?…

YVAN   Et alors, rien. Rien n'est résolu. J'ai raccroché. Minidrame avec Catherine. Écourté parce que j'étais en retard.

MARC   Pourquoi tu te laisses emmerder par toutes ces bonnes femmes ?

YVAN   Mais pourquoi je me laisse emmerder, je n'en sais rien ! Elles sont folles !

SERGE   Tu as maigri.

YVAN   Bien sûr. J'ai perdu quatre kilos. Uniquement par angoisse…

MARC   Lis Sénèque.

YVAN   … *La Vie heureuse,* voilà ce qu'il me faut !
Il dit quoi, lui ?

MARC   Chef-d'œuvre.

YVAN   Ah bon ?…

SERGE   Il ne l'a pas lu.

YVAN   Ah bon !

MARC   Non, mais Serge m'a dit chef-d'œuvre tout à l'heure.

SERGE   J'ai dit chef-d'œuvre parce que c'est un chef-d'œuvre.

MARC   Oui, oui.

SERGE   C'est un chef-d'œuvre.

MARC   Pourquoi tu prends la mouche ?

SERGE   Tu as l'air d'insinuer que je dis chef-d'œuvre à tout bout de champ.

MARC   Pas du tout...

SERGE   Tu dis ça avec une sorte de ton narquois...

MARC   Mais pas du tout !

SERGE   Si, si, chef-d'œuvre avec un ton...

MARC   Mais il est fou ! Pas du tout !... Par contre, tu as dit, tu as ajouté le mot modernissime.

SERGE   Oui. Et alors ?

MARC   Tu as dit modernissime, comme si moderne était le nec plus ultra du compliment. Comme si parlant d'une chose, on ne pouvait pas dire plus haut, plus définitivement haut que moderne.

SERGE   Et alors ?

MARC   Et alors, rien.
Et je n'ai pas fait mention du « issime »,
tu as remarqué… Modern-« issime »… !

SERGE   Tu me cherches aujourd'hui.

MARC   Non…

YVAN   Vous n'allez pas vous engueuler,
ce serait le comble !

SERGE   Tu ne trouves pas extraordinaire
qu'un homme qui a écrit il y a presque
deux mille ans soit toujours d'actualité ?

MARC   Si. Si, si. C'est le propre des clas-
siques.

SERGE   Question de mots.

YVAN   Alors qu'est-ce qu'on fait ? Le
cinéma, c'est foutu j'imagine, désolé. On
va dîner ?

MARC   Serge m'a dit que tu étais très
sensible à son tableau.

YVAN   Oui… Je suis assez sensible à ce tableau, oui… Pas toi, je sais.

MARC   Non. Allons dîner. Serge connaît un lyonnais succulent.

SERGE   Tu trouves ça trop gras.

MARC   Je trouve ça un peu gras mais je veux bien essayer.

SERGE   Mais non, si tu trouves ça trop gras, on va ailleurs.

MARC   Non, je veux bien essayer.

SERGE   On va dans ce restaurant si ça vous fait plaisir. Sinon on n'y va pas ! *(À Yvan.)* Tu veux manger lyonnais, toi ?

YVAN   Moi je fais ce que vous voulez.

MARC   Lui, il fait ce qu'on veut, il fait toujours ce qu'on veut, lui.

YVAN   Mais qu'est-ce que vous avez tous les deux, vous êtes vraiment bizarres !

SERGE   Il a raison, tu pourrais un jour avoir une opinion à toi.

YVAN   Écoutez les amis, si vous comptez me prendre comme tête de Turc, moi je me tire ! J'ai assez enduré aujourd'hui.

MARC   Un peu d'humour, Yvan.

YVAN   Hein ?

MARC   Un peu d'humour, vieux.

YVAN   Un peu d'humour ? Je ne vois pas ce qu'il y a de drôle.
Un peu d'humour, tu es marrant.

MARC   Je trouve que tu manques un peu d'humour ces derniers temps. Méfie-toi, regarde-moi !

YVAN   Qu'est-ce que tu as ?

MARC   Tu ne trouves pas que je manque aussi un peu d'humour ces derniers temps ?

YVAN   Ah bon ?!

SERGE   Bon, ça suffit, prenons une décision. Pour dire la vérité, je n'ai même pas faim.

YVAN   Vous êtes vraiment sinistres ce soir !…

SERGE   Tu veux que je te donne mon point de vue sur tes histoires de bonnes femmes ?

YVAN   Donne.

SERGE   La plus hystérique de toutes, à mes yeux, est Catherine. De loin.

MARC   C'est évident.

SERGE   Et si tu te laisses emmerder par elle dès maintenant, tu te prépares un avenir effroyable.

YVAN   Qu'est-ce que je peux faire ?

MARC   Annule.

YVAN   Annuler le mariage ?!

SERGE   Il a raison.

YVAN   Mais je ne peux pas, vous êtes cinglés !

MARC   Pourquoi ?

YVAN   Mais parce que je ne peux pas, voyons ! Tout est organisé. Je suis dans la papeterie depuis un mois…

MARC   Quel rapport ?

YVAN   La papeterie est à son oncle, qui n'avait absolument pas besoin d'engager qui que ce soit, encore moins un type qui n'a travaillé que dans le tissu.

SERGE   Tu fais ce que tu veux. Moi je t'ai donné mon avis.

YVAN   Excuse-moi Serge, sans vouloir te blesser, tu n'es pas l'homme dont j'écouterais spécifiquement les conseils matrimoniaux. On ne peut pas dire que ta vie soit une grande réussite dans ce domaine…

SERGE   Justement.

YVAN   Je ne peux pas résilier ce mariage. Je sais que Catherine est hystérique mais elle a des qualités. Elle a des qualités qui sont prépondérantes quand on épouse un garçon comme moi… *(Désignant l'Antrios.)* Tu vas le mettre où ?

SERGE   Je ne sais pas encore.

YVAN   Pourquoi tu ne le mets pas là ?

SERGE   Parce que là, il est écrasé par la lumière du jour.

YVAN   Ah oui.
J'ai pensé à toi aujourd'hui, au magasin on a reproduit cinq cents affiches d'un type qui peint des fleurs blanches, complètement blanches, sur un fond blanc.

SERGE   L'Antrios n'est pas blanc.

YVAN   Non, bien sûr. Mais c'est pour dire.

MARC   Tu trouves que ce tableau n'est pas blanc, Yvan ?

YVAN   Pas tout à fait, non…

MARC   Ah bon. Et tu vois quoi comme couleur ?…

YVAN   Je vois des couleurs… Je vois du jaune, du gris, des lignes un peu ocre…

MARC   Et tu es ému par ces couleurs.

YVAN   Oui… je suis ému par ces couleurs.

MARC   Yvan, tu n'as pas de consistance. Tu es un être hybride et flasque.

SERGE   Pourquoi tu es agressif avec Yvan comme ça ?

MARC   Parce que c'est un petit courtisan, servile, bluffé par le fric, bluffé par ce qu'il croit être la culture, culture que je vomis définitivement d'ailleurs.

Un petit silence.

SERGE   …. Qu'est-ce qui te prend ?

MARC, *à Yvan*   Comment peux-tu, Yvan ?… Devant moi. Devant moi, Yvan.

YVAN   Devant toi, quoi ?… Devant toi, quoi ?… Ces couleurs me touchent. Oui.

Ne t'en déplaise. Et cesse de vouloir tout régenter.

MARC   Comment peux-tu dire, devant moi, que ces couleurs te touchent ?...

YVAN   Parce que c'est la vérité.

MARC   La vérité ? Ces couleurs te touchent ?

YVAN   Oui. Ces couleurs me touchent.

MARC   Ces couleurs te touchent, Yvan ?!

SERGE   Ces couleurs le touchent ! Il a le droit !

MARC   Non, il n'a pas le droit.

SERGE   Comment, il n'a pas le droit ?

MARC   Il n'a pas le droit.

YVAN   Je n'ai pas le droit ?!...

MARC   Non.

SERGE   Pourquoi, il n'a pas le droit ? Tu sais que tu n'es pas bien en ce moment, tu devrais consulter.

MARC   Il n'a pas le droit de dire que ces couleurs le touchent, parce que c'est faux.

YVAN   Ces couleurs ne me touchent pas ?!

MARC   Il n'y a pas de couleurs. Tu ne les vois pas. Et elles ne te touchent pas.

YVAN   Parle pour toi !

MARC   Quel avilissement, Yvan !...

SERGE   Mais qui es-tu, Marc ?!... Qui es-tu pour imposer ta loi ? Un type qui n'aime rien, qui méprise tout le monde, qui met son point d'honneur à ne pas être un homme de son temps...

MARC   Qu'est-ce que ça veut dire être un homme de son temps ?

YVAN   Ciao. Moi, je m'en vais.

SERGE   Où tu vas ?

YVAN   Je m'en vais. Je ne vois pas pourquoi je dois supporter vos vapeurs.

SERGE   Reste ! Tu ne vas pas commencer à te draper... Si tu t'en vas, tu lui donnes raison. *(Yvan se tient, hésitant, à cheval entre deux décisions.)* Un homme de son temps est un homme qui vit dans son temps.

MARC   Quelle connerie. Comment un homme peut vivre dans un autre temps que le sien ? Explique-moi.

SERGE   Un homme de son temps, c'est quelqu'un dont on pourra dire dans vingt ans, dans cent ans, qu'il est représentatif de son époque.

MARC   Hun, hun.
Et pour quoi faire ?

SERGE   Comment pour quoi faire ?

MARC   À quoi me sert qu'on dise de moi un jour, il a été représentatif de son époque ?

SERGE   Mais mon vieux, ce n'est pas de toi dont il s'agit, mon pauvre vieux ! Toi, on s'en fout ! Un homme de son temps, comme je te le signale, la plupart de ceux que tu apprécies, est un apport pour l'humanité… Un homme de son temps n'arrête pas l'histoire de la peinture à une vue hypo-flamande de Cavaillon…

MARC   Carcassonne.

SERGE   Oui, c'est pareil. Un homme de son temps participe à la dynamique intrinsèque de l'évolution…

MARC   Et ça c'est bien, d'après toi.

SERGE   Ce n'est ni bien ni mal – pourquoi veux-tu moraliser ? – c'est dans la nature des choses.

MARC   Toi par exemple, tu participes à la dynamique intrinsèque de l'évolution.

SERGE   Oui.

MARC   Et Yvan ?…

YVAN   Mais non. Un être hybride ne participe à rien.

SERGE   Yvan, à sa manière, est un homme de son temps.

MARC   Et tu vois ça à quoi chez lui ? Pas à la croûte qu'il a au-dessus de sa cheminée !

YVAN   Ce n'est pas du tout une croûte !

SERGE   Si, c'est une croûte.

YVAN   Mais non !

SERGE   Peu importe. Yvan est représentatif d'un certain mode de vie, de pensée qui est tout à fait contemporain. Comme toi d'ailleurs. Tu es typiquement, je suis navré, un homme de ton temps. Et en réalité, plus tu souhaites ne pas l'être, plus tu l'es.

MARC   Alors tout va bien. Où est le problème ?

SERGE   Le problème est uniquement pour toi, qui mets ton point d'honneur à vouloir t'exclure du cercle des humains. Et qui ne peux y parvenir. Tu es comme dans les sables mouvants, plus tu cherches à t'extraire, plus tu t'enfonces. Présente tes excuses à Yvan.

MARC   Yvan est un lâche.

Sur ces mots, Yvan prend sa décision : il sort précipitamment. Un léger temps.

SERGE   Bravo.

Silence.

MARC   On ferait mieux de ne pas se voir du tout ce soir... non ?... Je ferais mieux de partir aussi...

SERGE   Possible...

MARC   Bon...

SERGE   C'est toi qui es lâche... Tu t'attaques à un garçon qui est incapable de se défendre... Tu le sais très bien.

MARC   Tu as raison... Tu as raison et ce que tu viens de dire ajoute à mon effondrement... Tu vois, subitement, je ne comprends plus, je ne sais plus ce qui me relie à Yvan... Je ne comprends plus de quoi ma relation est faite avec ce garçon.

SERGE   Yvan a toujours été ce qu'il est.

MARC   Non. Il avait une folie, il avait une incongruité... Il était fragile mais il était désarmant par sa folie...

SERGE   Et moi ?

MARC   Toi quoi ?

SERGE   Tu sais ce qui te relie à moi ?...

MARC   ... Une question qui pourrait nous entraîner assez loin...

SERGE   Allons-y.

Court silence.

MARC   ... Ça m'ennuie d'avoir fait de la peine à Yvan.

SERGE   Ah ! Enfin une parole légèrement humaine dans ta bouche.... D'autant que la croûte qu'il a au-dessus de sa cheminée, je crains que ce ne soit son père qui l'ait peinte.

MARC   Ah bon ? Merde.

SERGE   Oui…

MARC   Mais toi aussi tu lui as…

SERGE   Oui, oui, mais je m'en suis souvenu en le disant.

MARC   Ah, merde…

SERGE   Mmm…

Léger temps…

On sonne.
Serge va ouvrir.
Yvan rentre aussitôt dans la pièce et comme précédemment parle à peine arrivé.

YVAN   Le retour d'Yvan ! L'ascenseur est occupé, je m'engouffre dans l'escalier et je pense tout en dégringolant, lâche, hybride, sans consistance, je me dis, je reviens avec un flingue, je le bute, il verra si je suis flasque et servile, j'arrive au rez-de-chaussée, je me dis mon petit vieux tu n'as pas fait six ans d'analyse pour finir par buter ton meilleur ami et tu n'as pas fait six ans d'analyse pour ne pas percevoir derrière cette démence verbale un profond mal-être, je réamorce une remontée et je me dis, tout en gravissant les marches du pardon, Marc appelle au secours, je dois le secourir dussé-je en pâtir moi-même… D'ailleurs, l'autre jour, j'ai parlé de vous à Finkelzohn…

SERGE   Tu parles de nous à Finkelzohn ?!

YVAN   Je parle de tout à Finkelzohn.

SERGE   Et pourquoi tu parles de nous ?

MARC   Je t'interdis de parler de moi à ce connard.

YVAN   Tu ne m'interdis rien.

SERGE   Pourquoi tu parles de nous ?

YVAN   Je sens que vos relations sont

tendues et je voulais que Finkelzohn m'éclaire...

SERGE   Et qu'est-ce qu'il dit ce con ?

YVAN   Il dit quelque chose d'amusant...

MARC   Ils donnent leur avis ces gens ?!

YVAN   Non, ils ne donnent pas leur avis, mais là il a donné son avis, il a même fait un geste, lui qui ne fait jamais de geste, il a toujours froid, je lui dis, bougez !...

SERGE   Bon alors qu'est-ce qu'il dit ?!

MARC   Mais on se fout de ce qu'il dit !

SERGE   Qu'est-ce qu'il a dit ?

MARC   En quoi ça nous intéresse ?

SERGE   Je veux savoir ce que ce con a dit, merde !

YVAN, *il fouille dans la poche de sa veste* Vous voulez savoir... *(Il sort un bout de papier plié.)*

MARC   Tu as pris des notes ?!

YVAN, *le dépliant*   J'ai noté parce que
c'est compliqué… Je vous lis ?

SERGE   Lis.

YVAN   … « Si je suis moi parce que
je suis moi, et si tu es toi parce que tu
es toi, je suis moi et tu es toi. Si, en
revanche, je suis moi parce que tu es
toi, et si tu es toi parce que je suis moi,
alors je ne suis pas moi et tu n'es pas
toi… »
Vous comprendrez que j'aie dû l'écrire.

Court silence.

MARC   Tu le paies combien ?

YVAN   Quatre cents francs la séance,
deux fois par semaine.

MARC   Joli.

SERGE   Et en liquide. Car j'ai appris un
truc, tu ne peux pas payer par chèque.

Freud a dit, il faut que tu sentes les billets qui foutent le camp.

MARC Tu as de la chance d'être coaché par ce type.

SERGE Ah oui !… Et tu seras gentil de nous recopier cette formule.

MARC Oui. Elle nous sera sûrement utile.

YVAN, *repliant soigneusement le papier* Vous avez tort. C'est très profond.

MARC Si c'est grâce à lui que tu es revenu tendre ton autre joue, tu peux le remercier. Il a fait de toi une lope, mais tu es content, c'est l'essentiel.

YVAN, *à Serge* Tout ça parce qu'il ne veut pas croire que j'apprécie ton Antrios.

SERGE Je me fous de ce que vous pensez de ce tableau. Toi comme lui.

YVAN Plus je le vois, plus je l'aime, je t'assure.

SERGE   Je propose qu'on cesse de parler de ce tableau une bonne fois pour toutes, OK ? C'est une conversation qui ne m'intéresse pas.

MARC   Pourquoi tu te blesses comme ça ?

SERGE   Je ne me blesse pas, Marc. Vous avez exprimé vos opinions. Bien. Le sujet est clos.

MARC   Tu vois que tu le prends mal.

SERGE   Je ne le prends pas mal. Je suis fatigué.

MARC   Si tu te blesses, ça signifie que tu es suspendu au jugement d'autrui…

SERGE   Je suis fatigué, Marc. Tout ça est stérile… À vrai dire, je suis au bord de l'ennui avec vous, là, en ce moment.

YVAN   Allons dîner !

SERGE   Allez-y tous les deux, pourquoi vous n'y allez pas tous les deux ?

YVAN   Mais non ! Pour une fois qu'on est tous les trois.

SERGE   Ça ne nous réussit pas apparemment.

YVAN   Je ne comprends pas ce qui se passe. Calmons-nous. Il n'y a aucune raison de s'engueuler, encore moins pour un tableau.

SERGE   Tu as conscience que tu jettes de l'huile sur le feu avec tes « calmons-nous » et tes manières de curé ! C'est nouveau ça ?

YVAN   Vous n'arriverez pas à m'entamer.

MARC   Tu m'impressionnes. Je vais aller chez ce Finkelzohn !…

YVAN   Tu ne peux pas, il est complet. Qu'est-ce que tu manges ?

MARC   Gelsémium.

YVAN   Je suis rentré dans la suite logique des choses, mariage, enfants, mort. Papeterie. Qu'est-ce qui peut m'arriver ?

Mû par une impulsion soudaine, Serge prend l'Antrios et le rapporte où il se trouvait, en dehors de la pièce.
Il revient aussitôt.

MARC   Nous ne sommes pas dignes de le regarder...

SERGE   Exact.

MARC   Ou tu as peur qu'en ma présence, tu finisses par l'observer avec mes yeux...

SERGE   Non. Tu sais ce que dit Paul Valéry ? Je vais mettre de l'eau à ton moulin.

MARC   Je me fous de ce que dit Paul Valéry.

SERGE   Tu n'aimes pas non plus Paul Valéry ?

MARC   Ne me cite pas Paul Valéry.

SERGE   Mais tu aimais Paul Valéry !

MARC   Je me fous de ce que dit Paul Valéry.

SERGE   C'est toi qui me l'as fait découvrir. C'est toi-même qui m'as fait découvrir Paul Valéry !

MARC   Ne me cite pas Paul Valéry, je me fous de ce que dit Paul Valéry.

SERGE   De quoi tu ne te fous pas ?

MARC   Que tu aies acheté ce tableau. Que tu aies dépensé vingt briques pour cette merde.

YVAN   Tu ne vas pas recommencer, Marc !

SERGE   Et moi je vais te dire ce dont je ne me fous pas – puisqu'on en est aux confidences –, je ne me fous pas de la manière dont tu as suggéré par ton rire et tes insinuations que moi-même je trouvais cette œuvre grotesque. Tu as nié que je pouvais avec sincérité y être attaché. Tu as voulu créer une complicité odieuse entre nous. Et pour reprendre ta formule Marc, c'est ça qui me relie moins à toi ces derniers temps, ce permanent soupçon que tu manifestes.

MARC   C'est vrai que je ne peux pas imaginer que tu aimes sincèrement ce tableau.

YVAN   Mais pourquoi ?

MARC   Parce que j'aime Serge et que je suis incapable d'aimer Serge achetant ce tableau.

SERGE   Pourquoi tu dis, achetant, pourquoi tu ne dis pas, aimant ?

MARC   Parce que je ne peux pas dire aimant, je ne peux pas croire, aimant.

SERGE   Alors, achetant pourquoi, si je n'aime pas ?

MARC   C'est toute la question.

SERGE, *à Yvan*   Regarde comme il me répond avec suffisance ! Je joue au con et lui il me répond avec la tranquille bouffissure du sous-entendu !… *(À Marc.)* Et tu n'as pas imaginé une seconde, au cas, même improbable, où je puisse aimer vraiment, que je me blesse d'entendre ton avis catégorique, tranchant, complice dans le dégoût ?

MARC   Non.

SERGE   Quand tu m'as demandé ce que je pensais de Paula – une fille qui m'a soutenu, à moi, pendant tout un dîner, qu'on pouvait guérir la maladie d'Elhers Danlos à l'homéopathie –, je ne t'ai pas dit que je la trouvais laide, rugueuse et sans charme. J'aurais pu.

MARC   C'est ce que tu penses de Paula ?

SERGE   À ton avis ?

YVAN   Mais non, il ne pense pas ça ! On ne peut pas penser ça de Paula !

MARC   Réponds-moi.

SERGE   Tu vois, tu vois l'effet que ça fait !

MARC   Est-ce que tu penses ce que tu viens de dire sur Paula ?

SERGE   Au-delà, même.

YVAN   Mais non !!

MARC   Au-delà, Serge ? Au-delà du rugueux ? Veux-tu m'expliquer l'au-delà du rugueux !…

SERGE   Ah, ah ! Quand ça te touche personnellement, la saveur des mots est plus amère, on dirait !…

MARC   Serge, explique-moi l'au-delà du rugueux…

SERGE   Ne prends pas ce ton de givre. Ne serait-ce – je vais te répondre –, ne serait-ce que sa manière de chasser la fumée de cigarette…

MARC   Sa manière de chasser la fumée de cigarette…

SERGE   Oui. Sa manière de chasser la fumée de cigarette. Un geste qui te paraît à toi insignifiant, un geste anodin, penses-tu, pas du tout, sa manière de chasser la fumée de cigarette est exactement au cœur de sa rugosité.

MARC   … Tu me parles de Paula, une femme qui partage ma vie, en ces termes insoutenables, parce que tu désapprouves sa façon de chasser la fumée de cigarette…

SERGE   Oui. Sa façon de chasser la fumée la condamne sans phrases.

MARC   Serge, explique-moi, avant que je ne perde tout contrôle de moi-même. C'est très grave ce que tu es en train de faire.

SERGE   N'importe quelle femme dirait, excusez-moi, la fumée me gêne un peu, pourriez-vous déplacer votre cendrier, non, elle, elle ne s'abaisse pas à parler, elle dessine son mépris dans l'air, un geste calculé, d'une lassitude un peu méchante, un mouvement de main qu'elle veut imperceptible et qui sous-entend, fumez, fumez, c'est désespérant mais à quoi bon le relever, et qui fait que tu te demandes si c'est toi ou la cigarette qui l'indispose.

YVAN   Tu exagères !…

SERGE   Tu vois, il ne dit pas que j'ai tort, il dit que j'exagère, il ne dit pas que j'ai tort. Sa façon de chasser la fumée de cigarette révèle une nature froide, condescendante et fermée au monde. Ce que tu tends toi-même à devenir. C'est dommage Marc, c'est vraiment dommage que tu sois tombé sur une femme aussi négative…

YVAN   Paula n'est pas négative !…

MARC   Retire tout ce que tu viens de dire, Serge.

SERGE   Non.

YVAN   Mais si !…

MARC   Retire ce que tu viens de dire…

YVAN   Retire, retire ! C'est ridicule !

MARC   Serge, pour la dernière fois, je te somme de retirer ce que tu viens de dire.

SERGE   Un couple aberrant à mes yeux.
Un couple de fossiles.

Marc se jette sur Serge.
Yvan se précipite pour s'interposer.

MARC, *à Yvan*   Tire-toi !…

SERGE, *à Yvan*   Ne t'en mêle pas…

S'ensuit une sorte de lutte grotesque, très
courte, qui se termine par un coup que prend
malencontreusement Yvan.

YVAN   Oh merde !… Oh merde !…

SERGE   Fais voir, fais voir… *(Yvan gémit.*
Plus que de raison, semble-t-il.) Mais fais voir !…
C'est rien… Tu n'as rien… Attends… *(Il*
sort et revient avec une compresse.) Tiens, mets
ça dessus pendant une minute.

YVAN   … Vous êtes complètement
anormaux tous les deux. Deux garçons
normaux qui deviennent complètement
cinglés !

SERGE Ne t'énerve pas.

YVAN J'ai vraiment mal !... Si ça se trouve, vous m'avez crevé le tympan !...

SERGE Mais non.

YVAN Qu'est-ce que tu en sais ? Tu n'es pas oto-rhino !... Des amis comme vous, des types qui ont fait des études !...

SERGE Allez, calme-toi.

YVAN Tu ne peux pas démolir quelqu'un parce que tu n'aimes pas sa façon de chasser la fumée de cigarette !...

SERGE Si.

YVAN Mais enfin, ça n'a aucun sens !

SERGE Qu'est-ce que tu sais du sens de quoi que ce soit ?

YVAN Agresse-moi, agresse-moi encore !... J'ai peut-être une hémorragie interne, j'ai vu une souris passer...

SERGE C'est un rat.

YVAN   Un rat !

SERGE   Oui, il passe de temps en temps.

YVAN   Tu as un rat ?!!

SERGE   Ne retire pas la compresse, laisse la compresse.

YVAN   Qu'est-ce que vous avez ?... Qu'est-ce qui s'est passé entre vous ? Il s'est passé quelque chose pour que vous soyez devenus déments à ce point ?

SERGE   J'ai acheté une œuvre qui ne convient pas à Marc.

YVAN   Tu continues !... Vous êtes dans une spirale tous les deux, vous ne pouvez plus vous arrêter... On dirait moi avec Yvonne. La relation la plus pathologique qui soit !

SERGE   Qui est-ce ?

YVAN   Ma belle-mère !

SERGE   Ça faisait longtemps que tu ne nous en avais pas parlé.

Un petit silence.

MARC   Pourquoi tu ne m'as pas dit tout
de suite ce que tu pensais de Paula ?

SERGE   Je ne voulais pas te peiner.

MARC   Non, non, non…

SERGE   Quoi, non, non, non ?…

MARC   Non.
Quand je t'ai demandé ce que tu pensais
de Paula, tu m'as répondu : Vous vous
êtes trouvés.

SERGE   Oui…

MARC   Et c'était positif, dans ta
bouche.

SERGE   Sans doute…

MARC   Si, si. À cette époque, si.

SERGE   Bon, qu'est-ce que tu veux prou-
ver ?

MARC   Aujourd'hui, le procès que tu

fais à Paula, en réalité le mien, penche du mauvais côté.

SERGE   … Comprends pas…

MARC   Mais si, tu comprends.

SERGE   Non.

MARC   Depuis que je ne peux plus te suivre dans ta furieuse, quoique récente, appétence de nouveauté, je suis devenu « condescendant », « fermé au monde »… « fossilisé »…

YVAN   Ça me vrille !… J'ai une vrille qui m'a traversé le cerveau !

SERGE   Tu veux une goutte de cognac ?

YVAN   Tu crois… Si j'ai un truc détra-qué dans le cerveau, tu ne crois pas que l'alcool est contre-indiqué ?…

SERGE   Tu veux une aspirine ?

YVAN   Je ne sais pas si l'aspirine…

SERGE   Bon, alors qu'est-ce que tu veux ?!!

YVAN   Ne vous occupez pas de moi. Continuez votre conversation absurde, ne vous intéressez pas à moi.

MARC   C'est difficile.

YVAN   Vous pourriez avoir une oncette de compassion. Non.

SERGE   Moi je supporte que tu fréquentes Paula. Je ne t'en veux pas d'être avec Paula.

MARC   Tu n'as aucune raison de m'en vouloir.

SERGE   Et toi tu as des raisons de m'en vouloir… tu vois, j'allais dire d'être avec l'Antrios !

MARC   Oui.

SERGE   … Quelque chose m'échappe.

MARC   Je ne t'ai pas remplacé par Paula.

SERGE   Parce que moi, je t'ai remplacé par l'Antrios ?

MARC   Oui.

SERGE   … Je t'ai remplacé par l'Antrios ?!

MARC   Oui. Par l'Antrios… et compa-
gnie.

SERGE, *à Yvan*   Tu comprends ce qu'il
dit ?…

YVAN   Je m'en fous, vous êtes cinglés.

MARC   De mon temps, tu n'aurais jamais
acheté cette toile.

SERGE   Qu'est-ce que ça signifie, de ton
temps ?!

MARC   Du temps où tu me distinguais
des autres, où tu mesurais les choses à
mon aune.

SERGE   Il y a eu un temps de cette nature
entre nous ?

MARC   Comme c'est cruel. Et petit de ta
part.

SERGE   Non, je t'assure, je suis éberlué.

MARC   Si Yvan n'était pas l'être spon-
gieux qu'il est devenu, il me soutiendrait.

YVAN   Continue, continue, je t'ai dit, ça glisse.

MARC, *à Serge*   Il fut un temps où tu étais fier de m'avoir pour ami… Tu te félicitais de mon étrangeté, de ma propension à rester hors du coup. Tu aimais exposer ma sauvagerie en société, toi qui vivais si normalement. J'étais ton alibi. Mais… à la longue, il faut croire que cette sorte d'affection se tarit… Sur le tard, tu prends ton autonomie…

SERGE   J'apprécie le « sur le tard ».

MARC   Et je hais cette autonomie. La violence de cette autonomie. Tu m'abandonnes. Je suis trahi. Tu es un traître pour moi.

Silence.

SERGE, *à Yvan*   … Il était mon mentor, si je comprends bien… *(Yvan ne répond pas. Marc le dévisage avec mépris. Léger temps.)* … Et si moi, je t'aimais en qualité de mentor... toi, de quelle nature était ton sentiment ?

MARC   Tu le devines.

SERGE   Oui, oui, mais je voudrais te l'entendre dire.

MARC   ... J'aimais ton regard. J'étais flatté. Je t'ai toujours su gré de me considérer comme à part. J'ai même cru que cet à part était de l'ordre du supérieur jusqu'à ce qu'un jour tu me dises le contraire.

SERGE   C'est consternant.

MARC   C'est la vérité.

SERGE   Quel échec... !

MARC   Oui, quel échec !

SERGE   Quel échec !

MARC   Pour moi surtout... Toi, tu t'es découvert une nouvelle famille. Ta nature idolâtre a trouvé d'autres objets. L'Artiste !... La *Déconstruction* !...

Court silence.

YVAN   C'est quoi la déconstruction ?…

MARC   Tu ne connais pas la déconstruction ?… Demande à Serge, il domine très bien cette notion… *(À Serge.)* Pour me rendre lisible une œuvre absurde, tu es allé chercher ta terminologie dans le registre des travaux publics… Ah, tu souris ! Tu vois, quand tu souris comme ça, je reprends espoir, quel con…

YVAN   Mais réconciliez-vous ! Passons une bonne soirée, tout ça est risible !

MARC   … C'est de ma faute. On ne s'est pas beaucoup vu ces derniers temps. J'ai été absent, tu t'es mis à fréquenter le haut de gamme… Les Rops… les Desprez-Coudert… ce dentiste, Guy Hallié… C'est lui qui t'a…

SERGE   Non, non, non, non, pas du tout, ce n'est pas du tout son univers, lui n'aime que l'Art conceptuel…

MARC   Oui, enfin, c'est pareil.

SERGE   Non, ce n'est pas pareil.

MARC   Tu vois, encore une preuve que je t'ai laissé dériver…
On ne se comprend même plus dans la conversation courante.

SERGE   J'ignorais totalement – vraiment c'est une découverte – que j'étais à ce point sous ta houlette, à ce point en ta possession…

MARC   Pas en ma possession, non… On ne devrait jamais laisser ses amis sans surveillance. Il faut toujours surveiller ses amis. Sinon, ils vous échappent…
Regarde ce malheureux Yvan, qui nous enchantait par son comportement débridé, et qu'on a laissé devenir peureux, papetier… Bientôt mari… Un garçon qui nous apportait sa singularité et qui s'escrime maintenant à la gommer…

SERGE   Qui *nous* apportait ! Est-ce que tu réalises ce que tu dis ? Toujours en fonction de toi ! Apprends à aimer les gens pour eux-mêmes, Marc.

MARC   Ça veut dire quoi, pour eux-mêmes ?!

SERGE   Pour ce qu'ils sont.

MARC   Mais qu'est-ce qu'ils sont ?! Qu'est-ce qu'ils sont ?!... En dehors de l'espoir que je place en eux ?...
Je cherche désespérément un ami qui me préexiste. Jusqu'ici, je n'ai pas eu de chance. J'ai dû vous façonner... Mais tu vois, ça ne marche pas. Un jour ou l'autre, la créature va dîner chez les Desprez-Coudert et pour entériner son nouveau standing, achète un tableau blanc.

Silence.

SERGE   Donc, nous voici au terme d'une relation de quinze ans...

MARC   Oui...

YVAN   Minable...

MARC   Tu vois, si on était arrivé à se parler normalement, enfin si j'étais parvenu à m'exprimer en gardant mon calme...

SERGE   Oui ?...

MARC   Non...

SERGE   Si. Parle. Qu'on échange ne serait-ce qu'un mot dépassionné.

MARC   ... Je ne crois pas aux valeurs qui régissent l'Art d'aujourd'hui... La loi du nouveau. La loi de la surprise...
La surprise est une chose morte. Morte à peine conçue, Serge...

SERGE   Bon. Et alors ?

MARC   C'est tout.
J'ai aussi été pour toi de l'ordre de la surprise.

SERGE   Qu'est-ce que tu racontes !

MARC   Une surprise qui a duré un certain temps, je dois dire.

YVAN   Finkelzohn est un génie.
Je vous signale qu'il avait tout compris !

MARC   J'aimerais que tu cesses d'arbitrer, Yvan, et que tu cesses de te considérer à l'extérieur de cette conversation.

YVAN   Tu veux m'y faire participer, pas question, en quoi ça me regarde ? J'ai déjà le tympan crevé, réglez vos comptes tout seuls maintenant !

MARC   Il a peut-être le tympan crevé ? Je lui ai donné un coup très violent.

SERGE, *il ricane*   Je t'en prie, pas de vantardise.

MARC   Tu vois Yvan, ce que je ne supporte pas en ce moment chez toi – outre tout ce que je t'ai déjà dit et que je pense – c'est ton désir de nous niveler. Égaux, tu nous voudrais. Pour mettre ta lâcheté en sourdine. Égaux dans la discussion, égaux dans l'amitié d'autrefois. Mais nous ne sommes pas égaux, Yvan. Tu dois choisir ton camp.

YVAN   Il est tout choisi.

MARC   Parfait.

SERGE   Je n'ai pas besoin d'un supporter.

MARC   Tu ne vas pas rejeter le pauvre garçon.

YVAN   Pourquoi on se voit, si on se hait ?! On se hait, c'est clair ! Enfin, moi je ne vous hais pas mais vous, vous vous haïssez ! Et vous me haïssez ! Alors pourquoi on se voit ?… Moi je m'apprêtais à passer une soirée de détente après une semaine de soucis absurdes, retrouver mes deux meilleurs amis, aller au cinéma, rire, dédramatiser…

SERGE   Tu as remarqué que tu ne parles que de toi.

YVAN   Et vous parlez de qui, vous ?! Tout le monde parle de soi !

SERGE   Tu nous fous la soirée en l'air, tu…

YVAN   Je vous fous la soirée en l'air ?!

SERGE   Oui.

YVAN   Je vous fous la soirée en l'air ?!
Moi ?! Moi, je vous fous la soirée en l'air ?!

MARC   Oui, oui, ne t'excite pas !

YVAN   C'est moi qui fous la soirée en
l'air ?!!…

SERGE   Tu vas le répéter combien de
fois ?

YVAN   Non mais répondez-moi, c'est
moi qui fous la soirée en l'air ?!!…

MARC   Tu arrives avec trois quarts
d'heure de retard, tu ne t'excuses pas, tu
nous soûles de tes pépins domestiques…

SERGE   Et ta présence veule, ta présence de spectateur veule et neutre, nous
entraîne Marc et moi dans les pires excès.

YVAN   Toi aussi ! Toi aussi, tu t'y mets ?!

SERGE   Oui, parce que sur ce point, je
suis entièrement d'accord avec lui. Tu
crées les conditions du conflit.

MARC   Cette mièvre et subalterne voix de la raison, que tu essaies de faire entendre depuis ton arrivée, est intenable.

YVAN   Vous savez que je peux pleurer… Je peux me mettre à pleurer là… D'ailleurs, je n'en suis pas loin…

MARC   Pleure.

SERGE   Pleure.

YVAN   Pleure ! Vous me dites, pleure !!…

MARC   Tu as toutes les raisons de pleurer, tu vas épouser une gorgone, tu perds des amis que tu pensais éternels…

YVAN   Ah parce que ça y est, tout est fini !

MARC   Tu l'as dit toi-même, à quoi bon se voir si on se hait ?

YVAN   Et mon mariage ?! Vous êtes témoins, vous vous souvenez ?!

SERGE   Tu peux encore changer.

YVAN   Bien sûr que non ! Je vous ai ins-
crits !

MARC   Tu peux en choisir d'autres au
dernier moment.

YVAN   On n'a pas le droit !

SERGE   Mais si !...

YVAN   Non !...

MARC   Ne t'affole pas, on viendra.

SERGE   Tu devrais annuler ce mariage.

MARC   Ça, c'est vrai.

YVAN   Mais merde ! Qu'est-ce que je
vous ai fait, merde !!...

Il fond en larmes.
Un temps.

C'est ignoble ce que vous faites ! Vous auriez
pu vous engueuler après le 12, non, vous
vous arrangez pour gâcher mon mariage,
un mariage qui est déjà une calamité, qui
m'a fait perdre quatre kilos, vous le ruinez

définitivement ! Les deux seules personnes dont la présence me procurait un embryon de satisfaction s'arrangent pour s'entretuer, je suis vraiment le garçon verni !… *(À Marc.)* Tu crois que j'aime les pochettes perforées, les rouleaux adhésifs, tu crois qu'un homme normal a envie, un jour, de vendre des chemises dos à soufflet ?!… Que veux-tu que je fasse ? J'ai fait le con jusqu'à quarante ans, ah bien sûr je t'amusais, j'amusais beaucoup mes amis avec mes conneries, mais le soir qui est seul comme un rat ? Qui rentre tout seul dans sa tanière le soir ? Le bouffon seul à crever qui allume tout ce qui parle et qui trouve sur le répondeur qui ? Sa mère. Sa mère et sa mère.

Un court silence.

MARC   Ne te mets pas dans un état pareil.

YVAN   Ne te mets pas dans un état pareil ! Qui m'a mis dans cet état ?! Je n'ai pas vos froissements d'âme moi, qui je suis ? Un type qui n'a pas de poids, qui n'a pas d'opinion, je suis un ludion, j'ai toujours été un ludion !

MARC   Calme-toi…

YVAN   Ne me dis pas, calme-toi ! Je n'ai aucune raison de me calmer, si tu veux me rendre fou, dis-moi, calme-toi ! Calme-toi est la pire chose qu'on peut dire à quelqu'un qui a perdu son calme ! Je ne suis pas comme vous, je ne veux pas avoir d'autorité, je ne veux pas être une référence, je ne veux pas exister par moi-même, je veux être votre ami Yvan le farfadet ! Yvan le farfadet.

Silence.

SERGE   Si on pouvait ne pas tomber dans le pathétique…

YVAN   J'ai terminé.
Tu n'as pas quelque chose à grignoter ? N'importe quoi, juste pour ne pas tomber évanoui.

SERGE   J'ai des olives.

113

YVAN   Donne.

Serge lui donne un petit bol d'olives qui est à portée de main.

SERGE, *à Marc*   Tu en veux ?

Marc acquiesce.
Yvan lui tend le bol.
Ils mangent des olives.

YVAN   … Tu n'as pas une assiette pour mettre les…

SERGE   Si.

Il prend une soucoupe et la pose sur la table.
Un temps.

YVAN, *tout en mangeant les olives*   … En arriver à de telles extrémités… Un cataclysme pour un panneau blanc…

SERGE   Il n'est pas blanc.

YVAN   Une merde blanche !… *(Il est*

pris d'un fou rire.) … Car c'est une merde blanche !… Reconnais-le mon vieux !… C'est insensé ce que tu as acheté !…

Marc rit, entraîné dans la démesure d'Yvan.
Serge sort de la pièce.
Et revient aussitôt avec l'Antrios qu'il replace au même endroit.

SERGE, *à Yvan*   Tu as sur toi tes fameux feutres ?…

YVAN   Pour quoi faire ?… Tu ne vas pas dessiner sur le tableau ?…

SERGE   Tu as ou pas ?

YVAN   Attends… *(Il fouille dans les poches de sa veste.)* Oui… Un bleu…

SERGE   Donne.

Yvan tend le feutre à Serge.

Serge prend le feutre, enlève le capuchon, observe un instant la pointe, replace le capuchon.

Il lève les yeux vers Marc et lui lance le feutre.
Marc l'attrape.

Léger temps.

SERGE, *à Marc*   Vas-y. *(Silence.)* Vas-y !

Marc s'approche du tableau…
Il regarde Serge…
Puis il enlève le capuchon du feutre.

YVAN   Tu ne vas pas le faire !…

Marc regarde Serge…

SERGE   Allez.

YVAN   Vous êtes fous à lier tous les deux !

Marc se baisse pour être à la hauteur du tableau.

Sous le regard horrifié d'Yvan, il suit avec le feutre un des liserés transversaux.
Serge est impassible.
Puis, avec application, Marc dessine sur cette pente un petit skieur avec un bonnet.

Lorsqu'il a fini, il se redresse et contemple son œuvre.

Serge reste de marbre.

Yvan est pétrifié.

Silence.

SERGE   Bon. J'ai faim.
On va dîner ?

Marc esquisse un sourire.
Il rebouche le capuchon et dans un geste ludique, le jette à Yvan qui s'en saisit au vol.

*

Chez Serge.

Au fond, accroché au mur, l'Antrios.
Debout devant la toile, Marc tient une bassine

d'eau dans laquelle Serge trempe un petit mor-
ceau de tissu.

Marc a relevé les manches de sa chemise et
Serge est vêtu d'un petit tablier trop court de
peintre en bâtiment.

Près d'eux, on aperçoit quelques produits,
flacons ou bouteilles de white spirit, eau écar-
late, chiffons et éponges...

Avec un geste très délicat, Serge apporte une
dernière touche au nettoyage du tableau.

L'Antrios a retrouvé toute sa blancheur ini-
tiale.

Marc pose la bassine et regarde le tableau.

Serge se retourne vers Yvan, assis en retrait.

Yvan approuve.

Serge recule et contemple l'œuvre à son tour.

Silence.

YVAN, *comme seul. Il nous parle à voix légè-*
rement feutrée ... Le lendemain du
mariage, Catherine a déposé au cimetière
Montparnasse, sur la tombe de sa mère
morte, son bouquet de mariée et un petit
sachet de dragées. Je me suis éclipsé pour
pleurer derrière une chapelle et le soir,

repensant à cet acte bouleversant, j'ai encore sangloté dans mon lit en silence. Je dois absolument parler à Finkelzohn de ma propension à pleurer, je pleure tout le temps, ce qui n'est pas normal pour un garçon de mon âge. Cela a commencé, ou du moins s'est manifesté clairement le soir du tableau blanc chez Serge. Après que Serge avait montré à Marc, par un acte de pure démence, qu'il tenait davantage à lui qu'à son tableau, nous sommes allés dîner chez Émile. Chez Émile, Serge et Marc ont pris la décision d'essayer de reconstruire une relation anéantie par les événements et les mots. À un moment donné, l'un de nous a employé l'expression « période d'essai » et j'ai fondu en larmes.

L'expression « période d'essai » appliquée à notre amitié a provoqué en moi un séisme incontrôlé et absurde.

En réalité, je ne supporte plus aucun discours rationnel, tout ce qui a fait le monde, tout ce qui a été beau et grand

dans ce monde n'est jamais né d'un discours rationnel.

Un temps.
Serge s'essuie les mains. Il va vider la bassine
d'eau puis se met à ranger tous les produits, de
sorte qu'il n'y ait plus aucune trace du nettoyage.
Il regarde encore une fois son tableau. Puis se
retourne et s'avance vers nous.

SERGE   Lorsque nous sommes parvenus,
Marc et moi, à l'aide d'un savon suisse à
base de fiel de bœuf, prescrit par Paula, à
effacer le skieur, j'ai contemplé l'Antrios
et je me suis tourné vers Marc :
– Savais-tu que les feutres étaient lavables ?
– Non, m'a répondu Marc... Non... Et
toi ?
– Moi non plus, ai-je dit, très vite, en
mentant. Sur l'instant, j'ai failli répondre,
moi je le savais. Mais pouvais-je entamer
notre période d'essai par un aveu aussi
décevant ?... D'un autre côté, débuter par
une tricherie ?... Tricherie ! N'exagérons
rien. D'où me vient cette vertu stupide ?

Pourquoi faut-il que les relations soient si compliquées avec Marc ?...

La lumière isole peu à peu l'Antrios.
Marc s'approche du tableau.

MARC Sous les nuages blancs, la neige tombe.
On ne voit ni les nuages blancs, ni la neige.
Ni la froideur et l'éclat blanc du sol.
Un homme seul, à skis, glisse.
La neige tombe.
Tombe jusqu'à ce que l'homme disparaisse et retrouve son opacité.
Mon ami Serge, qui est un ami depuis longtemps, a acheté un tableau.
C'est une toile d'environ un mètre soixante sur un mètre vingt.
Elle représente un homme qui traverse un espace et qui disparaît.

DU MÊME AUTEUR

Romans, récits

HAMMERKLAVIER (Folio nº 6239)

UNE DÉSOLATION (Folio nº 6136)

ADAM HABERBERG (première édition), repris sous le titre :
HOMMES QUI NE SAVENT PAS ÊTRE AIMÉS (deuxième
édition) (Livre de poche nº 30153), puis sous le titre original
(troisième édition) (Folio nº 6000)

NULLE PART (Folio nº 6138)

DANS LA LUGE D'ARTHUR SCHOPENHAUER (Folio
nº 5991)

L'AUBE LE SOIR OU LA NUIT (J'ai Lu nº 8930)

HEUREUX LES HEUREUX (Folio nº 5813). Grand Prix du
roman *Marie-Claire* 2013, prix littéraire *Le Monde* 2013

BABYLONE, prix Renaudot 2016 (Folio nº 6516)

Théâtre

« ART » (Folio nº 6240)

CONVERSATIONS APRÈS UN ENTERREMENT, LA
TRAVERSÉE DE L'HIVER, L'HOMME DU HASARD et
« ART », repris dans THÉÂTRE (Livre de poche nº 14701)

LE PIQUE-NIQUE DU LULU KREUTZ

TROIS VERSIONS DE LA VIE

UNE PIÈCE ESPAGNOLE

LE DIEU DU CARNAGE (Folio nº 6137)

COMMENT VOUS RACONTEZ LA PARTIE (Folio nº 5814)

BELLA FIGURA

TROIS VERSIONS DE LA VIE, UNE PIÈCE ESPAGNOLE,
LE DIEU DU CARNAGE (Folio nº 6137) et COMMENT
VOUS RACONTEZ LA PARTIE (Folio nº 5814) repris dans
THÉÂTRE (Folio nº 6356)

COLLECTION FOLIO

Composition Nord Compo
Impression Novoprint
à Barcelone, le 28 octobre 2019
Dépôt légal : octobre 2019
1ᵉʳ dépôt légal dans la collection : décembre 2016
ISBN 978-2-07-046797-6./Imprimé en Espagne.

364778